Ik wil mijn haar niet kammen!

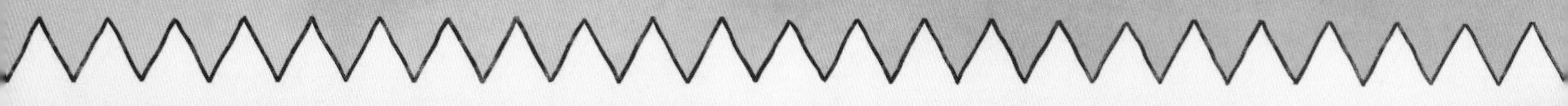

Dit is een uitgave van:
Memphis Belle
Prinsengracht 860-I
1017 JN Amsterdam
www.memphisbelle.nl
Voor België:
Standaard Uitgeverij nv
Mechelsesteenweg 203
2008 Antwerpen
www.standaarduitgeverij.be
Licentie verleend door The Illuminated Film Company
Gebaseerd op de animatieserie *Kleine Prinses* © The Illuminated Film Company 2007
Oorspronkelijke titel: *I Don't Want to Comb My Hair!*
Naar het televisiescript van Cas Willing
Oorspronkelijke uitgave: Andersen Press Ltd, Londen

Vertaling: Renate Poper
Redactie: Het RedactiePakhuis
ISBN 9789089412959
NUR 272
Gedrukt in China

Ik wil mijn haar niet kammen!

Tony Ross

Uitgeverij Memphis Belle

'Kom terug hier!' roept het dienstmeisje. Het is tijd om het haar van de Kleine Prinses te kammen.

'Nee!' roept de Kleine Prinses. Ze grijpt de kam en rent de slaapkamer uit, de trap af.

Tegen de tijd dat het dienstmeisje de Kleine Prinses heeft ingehaald, is de kam nergens meer te vinden. 'Ik heb hem echt niet', zegt de Kleine Prinses met een onschuldig gezicht.

Het is tijd om het aan de koning en de koningin te vertellen.
'Alweer één!' zegt de koning.
Het dienstmeisje knikt. 'Dat is al de vijfde kam die ze deze week heeft verstopt.'

'De Kleine Prinses verstopt zich achter de luie stoel van de koning. Haar haar zit vol klitten, maar kammen doet pijn.
'Kom maar tevoorschijn, Prinses', zegt de koningin met een zucht.

'O, jee,' zegt de koningin, 'misschien moeten we naar de kapper.'
'Nee!' gilt de Kleine Prinses boos.
'Wil je dat ik het doe?' vraagt de koning.
'Nee, ik wil het zelf doen.'
De koning, de koningin en het dienstmeisje denken even goed na.

'Goed, liefje. Jij bent nu de baas over het kammen',

zegt de koningin. 'Maar je **moet** je haar kammen.'

'Ik ben de baas over het kammen', zegt de Kleine Prinses lachend.
Ze loopt naar buiten en pakt haar poppenwagen. Dan gaat ze alle kammen pakken die ze heeft verstopt. Ze graait in konijnenholen, wroet tussen groenten en klimt in bomen.

'Pas op! Er zit een zeemonster in het water', zegt de admiraal als hij de Kleine Prinses bij de vijver ziet. 'Hij heeft deze vis aangevallen.'
De Kleine Prinses giechelt. 'Dat is mijn kam!'

Boven in haar kamer gaat de Kleine Prinses aan het werk.
'Ik doe het haar van alle anderen eerst', besluit ze. 'En dan pas mijn eigen haar, want ik ben de baas over het kammen.'
Sommige poppen hebben heel veel klitten in hun haar.

'Kammen is zwaar werk', zegt de Kleine Prinses met een zucht. 'Ik krijg er spieren van.'
Ze trekt nog één keer flink aan het haar van een pop.

Plop!

Ze heeft het hoofd van de pop eraf gekamd.

'Snoes!' zegt de Kleine Prinses vrolijk. 'Nu is het is jouw beurt.'

'Miaaauww!' Snoes krijst van schrik en rent de kamer uit.

'De Kleine Prinses kijkt naar
Sproet en zegt met een glimlach:
'Jouw beurt.'

Sproet blaft vrolijk en gaat plat op zijn buik liggen, zodat de
Kleine Prinses hem op zijn rug kan kietelen.

De Kleine Prinses loopt op een drafje naar beneden. Kammen is leuk.
'Eh, moet dit?' vraagt de eerste minister.
'Ja', zegt de Kleine Prinses. 'Ik ben de baas over het kammen.
Bevel van de koningin.'
Voorzichtig kamt ze de drie haarlokken op het hoofd van de eerste minister. Daarna gaat ze naar de volgende klant.

Tegen de tijd dat ze klaar is met de kok, is hij sprakeloos.
'Zo. Dat ziet er mooi uit', zegt de Kleine Prinses als ze haar werk bewondert.

's Middags is de Kleine Prinses bijna klaar. Ze heeft de klitten uit het haar van de generaal gehaald en hij heeft de knopen uit zijn berenmuts gehaald.

Daarna heeft ze een mooie ketting van madeliefjes gemaakt voor op het glimmende hoofd van de tuinman.

Nu is ze bezig met het haar van de admiraal.
'Voorzichtig, dit is mijn beste baard', grinnikt de admiraal.
'Klaar!' roept de Kleine Prinses. 'Alleen Snoes kan ik nergens vinden.'

'Prinses!' roept het dienstmeisje. 'Etenstijd!'
'Ik moet gaan', zegt de Kleine Prinses met een zucht. 'Snoes zoek ik later wel.'

In de koninklijke badkamer klimt de Kleine Prinses op een krukje om haar handen te wassen.

'AAaahhhhhhhHHHHH!!'

De Kleine Prinses die haar aankijkt in de spiegel ziet er vreselijk uit. Haar eigen haar is één grote klittenbos.

De Kleine Prinses holt de badkamer uit. Boven grijpt ze de grootste kam die ze kan vinden en dan begint ze de klitten uit haar haar te kammen.

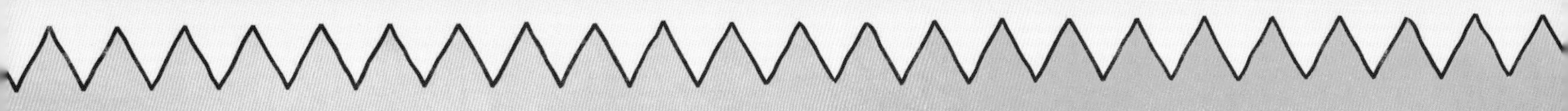

'Au, au, au, auuu!'

De kam zit muurvast. Ze pakt een andere kam, maar algauw zit die ook vast.

'Etenstijd!' roept het dienstmeisje weer van beneden. 'O, nee!' zegt de Kleine Prinses hijgend. 'Nu gaat iemand anders het doen. Misschien moet ik wel naar de kapper.'

'Schatje?' vraagt de koningin als de Kleine Prinses aan tafel gaat zitten.
De Kleine Prinses raakt trots haar hoofddoek aan. 'Ik wil er net zo uitzien als jij', zegt ze.
De koning kijkt de koningin verbaasd aan. Er is iets vreemds aan de hand.

Als het bedtijd is, ziet de Kleine Prinses er nog vreemder uit.
'Het wordt koud vannacht', zegt ze als haar vader haar een glas water brengt.
'Oké, popje', zegt de koning.

'Warrig haar is niet fijn', moppert de Kleine Prinses de volgende ochtend. 'Iemand moet me helpen.'
Wanhopig gaat ze naar beneden. Ze vindt het dienstmeisje in de wasruimte. Ze heeft nog steeds de staarten in die de Kleine Prinses heeft gemaakt.

'Dit is vreselijk. Ik heb nog nooit zo'n beestenboel gezien', zegt het dienstmeisje. De Kleine Prinses schrikt. Beestenboel? Ze heeft toch geen beestjes in haar haar? Opeens rent er een muis langs het raam. Hij kijkt haar recht aan.

'AAAAHHHHHHHHHH!!!'

De Kleine Prinses stormt de zitkamer in.

'Knip het af!' roept ze. 'Ik heb beestjes!'

De koning snapt er niets van. 'Een kale prinses?'

'Knip af, knip af!'

'Dat kunnen wij niet, liefje', zegt de koningin.

De Kleine Prinses snapt dat er maar één ding op zit.
'Dan wil ik nu naar de kapper. En snel! Alsjeblieft!'

'Kom mee, schatje', zegt de koningin. 'Dit duurt niet lang.' Iedereen komt naar buiten om de Kleine Prinses uit te zwaaien. Ze zijn opgelucht dat ze niet meer de baas over het kammen is.

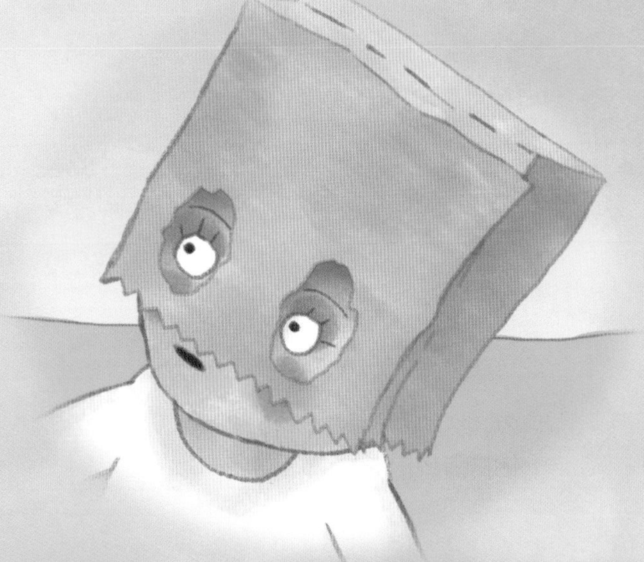

Het bezoek aan de kapper is een groot succes.
'Ik heb een nieuwe kam', zegt de Kleine Prinses blij.
Snel pakt ze Snoes op. 'Speciaal voor...'

'... kattenhaar!'

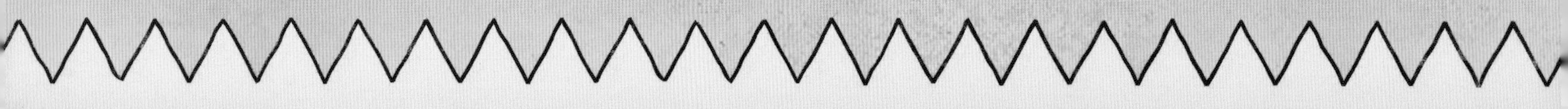